Y byd)

Argraffwyd y llyfr hwn ar bapur sy'n cynnwys
lleiafswm o 70% o bren a ddaw o fforestydd sydd
wedi'u rheoli mewn modd cyfreithlon a chynaliadwy.

Mae'r cyhoeddwyr yn cydnabod cefnogaeth
ariannol Cyngor Llyfrau Cymru.

Argraffiad cyntaf 2008
© y testun Gwenith Hughes 2008
© y lluniau Philip Prendergast

Cyhoeddwyd gan Wasg y Dref Wen,
28 Ffordd yr Eglwys, Yr Eglwys Newydd,
Caerdydd CF14 2EA
Ffôn 029 20617860.

Argraffwyd ym Mhrydain.

Y byd yn eich poced

gan

Gwenith Hughes

Lluniau gan Philip Prendergast

DREF WEN

Diolch i Ann MacGarry o Ganolfan y Dechnoleg Amgen, Machynlleth, am ei chymorth ymgynghorol wrth lunio'r llyfr hwn

Mae 12% o boblogaeth y byd yn byw yng Ngogledd America a Gorllewin Ewrop. Mae'r 12% yma yn defnyddio dros 60% o adnoddau'r byd.

Mae pobl Cymru'n defnyddio cymaint o adnoddau fel y byddai angen tair planed i'n cynnal pe byddai pawb yn y byd yn gwneud yr un fath.

Mae gwyddonwyr yn dweud y bydd tymheredd y byd yn codi rhwng 3°C a 6°C yn y 100 mlynedd nesaf. Cododd

tymheredd y byd 6°C 250 miliwn o flynyddoedd yn ôl a diflannodd 95% o blanhigion ac anifeiliaid y byd ar y pryd.

Bob blwyddyn, bydd tua 4 miliwn tunnell o sbwriel yn mynd i'r domen sbwriel yng Nghymru – digon i lenwi Stadiwm y Mileniwm unwaith bob 20 diwrnod!

Daw 80% o wastraff Cymru o gartrefi.

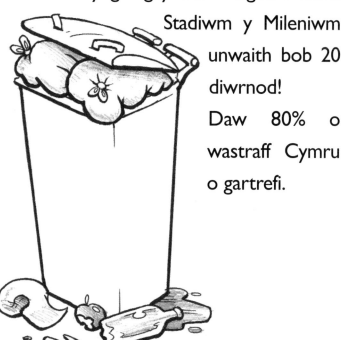

Mae angen tua 25 litr o ddŵr y dydd ar berson i yfed, ymolchi a choginio. Mewn gwlad sy'n datblygu, mae person yn defnyddio cyn lleied â 10 litr o ddŵr y diwrnod. Ym Mhrydain mae'r mwyafrif ohonom yn defnyddio tua 200 litr y diwrnod – ac yn gwastraffu'r rhan fwyaf ohono.

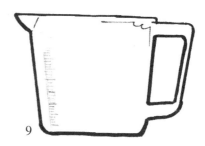

Yn ystod y 50 mlynedd diwethaf mae gwyddonwyr wedi creu tua 80,000 o gemegau newydd. Mae'r mwyafrif o'r rhain yn cael eu defnyddio'n ddyddiol mewn cyfrifiaduron, nwyddau ymolchi, dodrefn, bwyd, diod, ayb. Does dim rhyfedd, felly, fod dros 300 o gemegau gwahanol wedi eu darganfod yng nghyrff pobl.

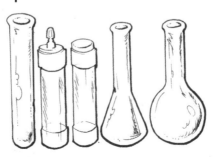

Un adnodd sy'n cael ei ddinistrio ar raddfa eang ar hyn o bryd yw coedwigoedd glaw. Mewn blwyddyn (2003–4) diflannodd 27,000 km^2 o goedwig yr Amazon, sef ardal yr un maint â Gwlad Belg! Amcangyfrifir y bydd hanner coedwig yr Amazon wedi diflannu erbyn 2030 oherwydd datgoedwigo a newid hinsawdd.

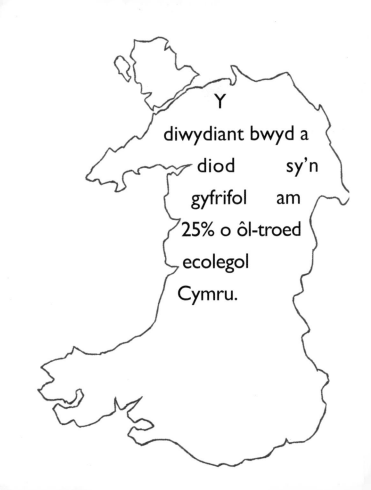

Y diwydiant bwyd a diod sy'n gyfrifol am 25% o ôl-troed ecolegol Cymru.

Bydd pob bag plastig sy'n mynd i'r domen sbwriel yn cymryd 500 mlynedd i bydru. Rydym yn defnyddio 500 miliwn o'r rhain bob wythnos.

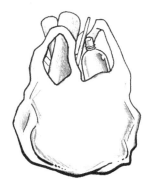

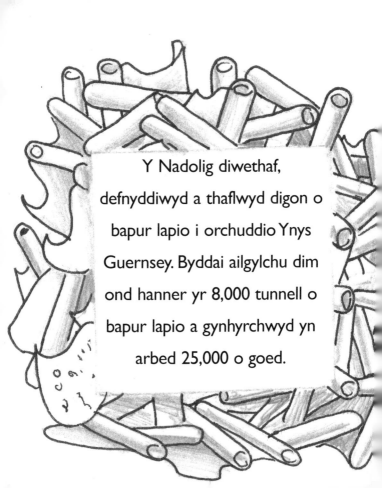

Y Nadolig diwethaf,
defnyddiwyd a thaflwyd digon o
bapur lapio i orchuddio Ynys
Guernsey. Byddai ailgylchu dim
ond hanner yr 8,000 tunnell o
bapur lapio a gynhyrchwyd yn
arbed 25,000 o goed.

Pe baech yn trefnu'r biniau sy'n cynnwys yr holl bethau mae pobl Prydain yn eu taflu mewn blwyddyn yn un llinell hir, byddai'r llinell honno'n ymestyn at y lleuad.

Byddai'n bosib amgylchynu'r byd 14 gwaith gyda'r nifer o gwpanau papur a phlastig sy'n cael eu taflu ym Mhrydain bob blwyddyn.

Yng Nghymru, mae 240 miliwn o *glytiau parod* yn cael eu taflu'n flynyddol – bron i 500 bob munud.

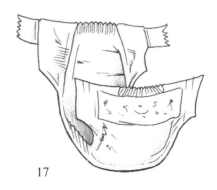

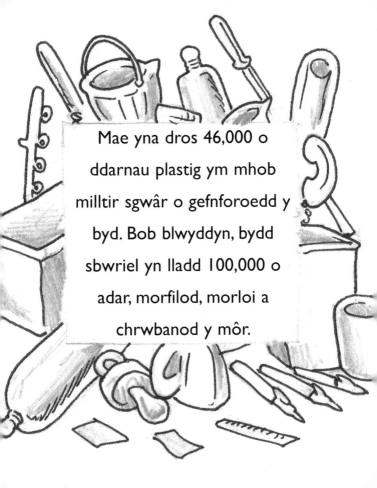

Mae yna dros 46,000 o ddarnau plastig ym mhob milltir sgwâr o gefnforoedd y byd. Bob blwyddyn, bydd sbwriel yn lladd 100,000 o adar, morfilod, morloi a chrwbanod y môr.

Mae cartrefi Prydain yn taflu traean o gynnwys pob bag bwyd y maent yn ei brynu, sef 6.7 miliwn tunnell o fwyd bob blwyddyn. Mae hanner ohono'n fwytadwy, ac mae'n cyfrif am 19% o wastraff domestig y wlad. Mae'r math yma o wastraff yn rhyddhau nwy methan, nwy sy'n llawer mwy pwerus na charbon deuocsid. Byddai atal gwastraff o'r math hwn yn cael yr un effaith â chael gwared ar 20% o geir Prydain.

Mae angen coedwig yr un maint â Chymru i gynhyrchu'r holl bapur mae Prydain yn ei ddefnyddio bob blwyddyn.

Daw'r rhan fwyaf o ddillad siopau'r stryd fawr o ffatrïoedd yn y Trydydd Byd. Merched yw 90% o weithwyr ffatri Bangladesh – ar gyfartaledd, byddant yn derbyn cyflog o £7 y mis am weithio 80 awr yr wythnos.

Mae yna 30 miliwn o gywion ieir ym Mhrydain, gyda 70% ohonynt yn cael eu cadw mewn siediau anferth sy'n cynnwys hyd at 20,000 o adar. Mae 4 neu 5 iâr yn cael eu cadw mewn caets 50 cm x 50 cm ar ffermydd o'r math yma. Yn gyfreithiol, does ond rhaid darparu ychydig llai na thri chwarter maint darn papur A4 ar gyfer pob iâr.

Cynhyrchir 6% o egni'r byd gan bwerdai niwclear. Gallai'r gwastraff niwclear sydd eisoes yn bodoli ym Mhrydain (470,000 metr ciwbig) lenwi Neuadd Albert yn Llundain dros bum gwaith.

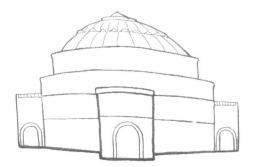

Cred gwyddonwyr y bydd 150 miliwn o bobl y byd yn gorfod gadael eu cartrefi erbyn 2050 oherwydd newid hinsawdd.

Amcangyfrifir bod dros 150,000 o bobl gwledydd tlotaf y byd yn marw oherwydd effeithiau newid hinsawdd bob blwyddyn. Disgwylir i'r ffigwr yma ddyblu i 300,000 y flwyddyn erbyn 2030 – yr un faint â 10% o boblogaeth Cymru.

Mae modd i bob un ohonom wneud rhywbeth i wella'r sefyllfa ...

Yn y cartref

Diffoddwch y teledu a theclynnau trydanol eraill – maent yn defnyddio trydan hyd yn oed ar *fodd segur*.

Cofiwch gau'r llenni gyda'r nos – mae hyn yn helpu i gadw'r gwres i mewn.

Peidiwch â gor-gynhesu'r tŷ. Petaech chi'n gostwng y gwres o 1°C, gallai olygu eich bod yn arbed hyd at 10% ar eich bil egni.

Peidiwch â gwastraffu egni – mae'n well troi'r gwres i lawr mewn ystafell nac agor ffenest. Y tymheredd sy'n cael ei argymell yw 21°C ar gyfer ystafell fyw a 18°C yng ngweddill y tŷ.

Newidiwch bob bwlb cyffredin am un sy'n defnyddio egni yn effeithlon. Gall un bwlb arbed hyd at £100 i chi ac maent yn para 12 gwaith yn hirach na bylbiau cyffredin.

Ynyswch y tŷ – gallwch lenwi *waliau ceudod* (mewn tai sydd wedi eu hadeiladu ar ôl 1920) ac ynysu'r to. Bydd cost y gwaith yn talu amdano'i hun o fewn 2 flynedd gan y bydd biliau egni'r cartref yn sylweddol is. Mae modd

27

defnyddio deunydd ynysu naturiol fel papur wedi'i *ailgylchu* neu wlân.

Er bod Cymru'n wlad dymherus sy'n cael llawer o law, gellir cynhyrchu egni drwy osod paneli solar ar do'r tŷ. Mae dau fath o banel solar ar gael: un sy'n cynhyrchu trydan (panel ffotofoltäig) a phanel sy'n cynhesu dŵr ar gyfer y tŷ.

Os ydych chi eisiau defnyddio egni adnewyddol ond nad oes gennych chi le nac arian i osod panel solar, gallwch gefnogi egni adnewyddol trwy newid i gyflenwr trydan gwyrdd. Mae sawl cwmni yn cynnig y gwasanaeth hwn a gellir newid yn hawdd dros y we.

Prynwch y *teclynnau* mwyaf effeithlon o ran egni ar gyfer y tŷ. Edrychwch am logo'r *Ymddiriedolaeth Arbed Egni* neu label effeithlonrwydd egni (A yw'r gorau a G yw'r gwaethaf) ar declynnau, e.e. rhewgell neu beiriant golchi llestri.

Yn hytrach na defnyddio deunydd glanhau sy'n llawn *cemegau*, beth am lanhau ffenestri gyda finegr a dŵr, neu ddefnyddio soda pobi i lanhau'r sinc, y bath a'r draeniau? Opsiwn arall yw prynu deunyddiau glanhau gan gwmnïau sy'n defnyddio cynnyrch naturiol, e.e. Ecover.

Prynwch *fatris ailwefradwy* ar gyfer yr offer lle mae batri yn angenrheidiol. Mae rhwng 20,000 a 30,000 tunnell o fatris cyffredin yn cael eu gwastraffu bob blwyddyn ym Mhrydain a dim ond 1,000 tunnell sy'n cael eu hailgylchu!

Gwnewch yn siŵr nad oes gennych chi dap neu bibellau sy'n diferu yn y tŷ. Gall hyn wastraffu hyd at 140 litr o ddŵr yr wythnos, heb sôn am greu difrod a chostau ychwanegol i chi.

Pan fyddwch eisiau prynu celfi newydd, chwiliwch i weld beth sydd ar gael yn ail-law yn gyntaf. Mae yna ystod eang o nwyddau ail-law ar gael mewn siopau elusen, ar wefannau fel eBay ac am ddim trwy grwpiau lleol Freecycle. Ceisiwch werthu neu ailgylchu unrhyw hen ddodrefn nad ydych eu hangen bellach – efallai y byddwch chi'n llwyddo i wneud elw yr un pryd!

Wrth addurno eich cartref chwiliwch am opsiynau gwahanol i'r arfer. Beth am baent naturiol sy'n seiliedig ar olew llysieuol neu ddŵr, yn lle paent sy'n llawn cemegau synthetig niweidiol?

Wedi syrffedu ar y sothach sy'n cyrraedd gyda'r post? Bydd dros filiwn o dunelli o lythyrau sothach a chylchgronau yn mynd i'r domen sbwriel bob blwyddyn. Cysylltwch gyda'r *Gwasanaeth Dewis Post* i atal mwy o lythyrau diangen rhag cael eu postio atoch. Darbwyllwch eraill i wneud yr un fath!

Yn y gegin

Rhowch gaead ar bob sosban wrth goginio. Gallwch goginio sawl pryd ar y tro tra bod y popty ymlaen, a defnyddiwch sosban stemio aml-haenog i goginio nifer o lysiau ar yr un pryd. Bydd hyn yn arbed egni, yn arbed arian, a bydd eich bwyd yn barod yn gynt!

Does dim cemegau'n cael eu rhoi mewn bwyd *organig*, ac mae hynny'n golygu ei fod yn fwy llesol i'n hiechyd ac i'r *amgylchedd*. Gan mai ychydig iawn o blaleiddiaid a gwrtaith sy'n cael eu defnyddio mewn ffermio organig, gellir arbed 40% o egni wrth ffermio yn y dull yma ac mae'n hybu bywyd gwyllt hefyd.

Beth am fynd i'r farchnad ffermwyr leol? Prynwch fwydydd lleol, ffres yn eu tymor. Mae prynu mefus sydd wedi'u cludo mewn awyren o'r Dwyrain Canol yn creu 250 gwaith mwy o garbon deuocsid na mefus sydd wedi'u tyfu'n lleol.

Bydd prynu bwyd a diod *Masnach Deg* yn sicrhau bod y bobl sydd wedi cynhyrchu'r bwyd yn cael pris teg amdano yn ogystal â manteision cymdeithasol. Yng ngwledydd tlotaf y byd, am bob $1 sy'n cael ei rhoi fel cymorth mae $2 yn cael eu colli drwy fasnachu annheg, gan arwain at golled o $100 biliwn y flwyddyn. Ymunwch â Fforwm Masnach Deg Cymru i wneud yn siŵr mai Cymru fydd y wlad fasnach deg gyntaf!

Gwnewch yn siŵr eich bod yn prynu cig lleol o Gymru yn hytrach na chig sydd wedi cael ei fewnforio. Bydd hyn yn cryfhau'r economi lleol ac yn arbed creu llawer o garbon deuocsid.

Mae niferoedd y pysgod yn y môr yn lleihau'n gyflym o ganlyniad i or-bysgota. Os bydd dulliau a chyfraddau presennol pysgota yn parhau, bydd pysgod fel y penfras a'r eog yn brin ymhen 40 mlynedd. Prynwch bysgod sy'n cael eu pysgota mewn dull cynaliadwy a rhowch gynnig ar fathau gwahanol o bysgod yn lle'r rhai mwyaf poblogaidd.

Defnyddiwch sosbenni a phadelli dur gwrthstaen yn hytrach na rhai a phlastig arnynt neu rai alwminiwm. Mae plastig ar sosbenni yn cynnwys nifer o gemegau ac fe gysylltir alwminiwm â chlefyd Alzheimer.

Mae llawer o'n bwyd yn cael ei becynnu yn ddiangen, yn enwedig mewn archfarchnadoedd. Chwiliwch am nwyddau

heb eu pecynnu neu rai mewn pecynnau sy'n hawdd eu hailgylchu. Mae gwerth 20,000 tunnell o ffoil alwminiwm yn cael ei wastraffu bob blwyddyn – dim ond 3,000 tunnell sy'n cael eu hailgylchu.

Mae yfed dŵr potel yn costio oddeutu 3,000 gwaith yn fwy nac yfed dŵr tap ond, yn bwysicach na hynny, mae prynu dŵr potel yn golygu defnyddio llawer iawn mwy o egni – rhaid creu'r botel yn y lle cyntaf, cludo'r botel (weithiau o dramor) i'r siopau ac yna mae costau pellach ynghlwm ag ailgylchu.

Ceisiwch baratoi bocs bwyd bob dydd heb ddefnyddio bagiau plastig, haenen lynu na ffoil. Os oes angen anogaeth bellach arnoch, cofiwch fod paratoi bocs bwyd yn rhatach na phrynu bwyd allan – mae'n bosib arbed hyd at £4 y diwrnod, sy'n £1,000 y flwyddyn!

Peidiwch â derbyn bag plastig mewn siopau. Ewch â basged, bag brethyn neu fag teithio gyda chi yn lle hynny.

Cofiwch ailgylchu cymaint o bethau â phosib. Mae'n hawdd ailgylchu tuniau a ffoil alwminiwm, papur, jariau a photeli gwydr, bagiau a photeli plastig. Cysylltwch gyda'ch cyngor lleol i weld pa wasanaethau ailgylchu maent yn eu cynnig.

Erbyn hyn mae'r rhan fwyaf yn cynnig gwasanaeth sy'n casglu deunydd i'w ailgylchu o'r tŷ.

Yn lle defnyddio haenen lynu neu ffoil i gadw bwyd dros ben yn ffres, gellir ei roi mewn powlen â phlât ar ei phen yn yr oergell.

Golchwch eich llestri mewn dysgl. Mae golchi llestri mewn dysgl fel arfer yn defnyddio 63 litr o ddŵr bob tro o'i gymharu â 150 litr o ddŵr wrth rinsio llestri dan dap. Bydd hyn yn arbed dros 600 litr mewn wythnos! Defnyddiwch y dŵr sydd ar ôl yn y ddysgl golchi llestri (neu ddŵr dros ben ar ôl golchi llysiau) i ddyfrhau'r ardd.

Gall peiriant golchi llestri modern ddefnyddio cyn lleied â 15 litr o ddŵr, ond cofiwch lenwi'r peiriant gymaint â phosib a'i osod ar y rhaglen fwyaf effeithlon.

Peidiwch â llenwi'r tegell wrth wneud paned; dim ond digon o ddŵr ar gyfer y nifer priodol o gwpanau sydd ei angen. Mae berwi tegell am 12 munud y diwrnod am flwyddyn yn rhyddhau dros 60 kg o garbon deuocsid! Pe byddai pawb yn berwi dim ond y dŵr fyddan nhw'n ei ddefnyddio i wneud paned yn lle llond tegell bob tro,

byddai'n bosib goleuo holl lampau stryd Prydain y noson ganlynol gyda'r egni fyddai'n cael ei arbed!

Yn yr ystafell ymolchi

Cofiwch gau'r tap wrth lanhau eich dannedd – bydd hyn yn arbed 9 litr o ddŵr bob munud. Os ydych chi'n brwsio eich dannedd am dri munud ddwywaith y dydd, mae hyn yn golygu arbed 54 litr o ddŵr y diwrnod. Os yw pum aelod o'r teulu yn gwneud yr un fath, gallai arbed cymaint â 270 litr y diwrnod!

Cymerwch gawod yn lle bath. Mae angen tua 80 litr o ddŵr i lenwi bath ond bydd 30 litr yn ddigon ar gyfer cawod. Gallwch arbed 350 litr o ddŵr poeth bob wythnos ac mae'n arbed amser i chi! Os oes rhaid i chi gael bath – rhannwch!

Mae'r tŷ bach mewn cartref cyffredin yn defnyddio 50 litr o ddŵr glân bob dydd – pum gwaith yn fwy o ddŵr nag sydd gan bobl gwledydd tlotaf y byd i goginio, yfed ac ymolchi ynddo bob dydd. Gallwch osod teclyn arbed dŵr yn nhanc dŵr y tŷ bach. Mae'r teclynnau hyn ar gael am ddim gan eich cwmni dŵr ac yn arbed 3 litr o ddŵr bob tro y byddwch yn fflyshio!

Peidiwch â defnyddio cadach ymolchi *tafladwy* i ymolchi eich wyneb neu i dynnu colur – mae'r cadachau hyn yn cynnwys

36

llawer o gemegau i lanhau'r croen a rhoi arogl da. Defnyddiwch gadach a dŵr cynnes – bydd hyn yn atal *gwastraff*, yn lleihau eich defnydd o gemegau ac yn arbed arian i chi!

Edrychwch ar gynnwys yr amrywiol gynnyrch ymolchi rydych chi'n eu defnyddio bob dydd, e.e. siampŵ, *diaroglydd*, hylif croen, sebon, past danedd. Fe welwch fod yna restr faith o gynhwysion a bod y mwyafrif o'r rhain yn gemegau. Os ydych chi'n defnyddio 4 o'r rhestr uchod bob dydd a bod pob un yn cynnwys 5 o gemegau, rydych chi'n defnyddio 20 o gemegau gwahanol ar eich corff bob dydd! Ceisiwch ddefnyddio llai o gynhyrchion neu defnyddiwch rai mor naturiol â phosib.

Defnyddiwch nerth bôn braich i lanhau eich ddannedd yn lle brws dannedd trydan! Os oes gennych frws dannedd trydan gwnewch yn siŵr eich bod yn ailwefru'r batris yn hytrach na'u taflu a phrynu rhai newydd.

Prynwch bapur tŷ bach wedi ei ailgylchu. Cofiwch – wrth brynu nwyddau wedi eu hailgylchu rydych chi'n helpu i greu marchnad ar gyfer deunyddiau wedi eu hailgylchu.

Oes gennych chi annwyd? Defnyddiwch hances gotwm a'i golchi yn lle hancesi papur.

Yn y gweithle

Mae gweithiwr mewn swyddfa gyffredin yn defnyddio 20,000 o dudalennau A4 bob blwyddyn a chaiff y rhan fwyaf o'r rhain eu taflu. Argraffwch a llungopïwch ar ddwy ochr y dudalen – bydd hyn yn haneru faint o bapur rydych chi'n ei ddefnyddio. Ffordd dda o leihau gwastraff a chostau!

Argraffwch eich dogfennau gan ddefnyddio'r opsiwn drafft er mwyn defnyddio llai o inc. Mae dros 7 miliwn o getris arlliw a 40 miliwn o getris inc yn cael eu defnyddio ym Mhrydain bob blwyddyn. Gellid ailgylchu 90% o'r rhain.

Defnyddiwch hen bapur fel papur sgrap i wneud nodiadau a chadwch hen amlenni ar gyfer post mewnol y swyddfa.

Y ffordd hawsaf i arbed papur ac inc yw trwy gyfathrebu'n electronig. Mae yna gardiau electronig ar gael hefyd – defnyddiol iawn os ydych chi wedi anghofio postio cerdyn pen-blwydd!

Perswadiwch eich pennaeth yn y gwaith i archebu nwyddau wedi eu hailgylchu ar gyfer y man gwaith, e.e. papur i'r argraffydd, amlenni, papur tŷ bach.

Yn lle defnyddio llestri papur neu blastig, e.e. gyda phaned o goffi o beiriant, mynnwch ddefnyddio llestri go iawn – bydd bwyd a diod yn blasu'n well hefyd!

Oes modd i chi gerdded neu feicio i'r gwaith? Byddai hyn yn eich cadw'n heini ac yn golygu eich bod yn osgoi'r tagfeydd traffig yn y bore! Fel arall, beth am ddefnyddio *trafnidiaeth gyhoeddus* (trên neu fws) yn lle mynd yn y car?

Er mwyn ei gwneud hi'n haws i bobl feicio i'r gwaith, gofynnwch a oes modd gwella cyfleusterau'r adeilad ar gyfer beicwyr, e.e. cael safle diogel i gadw'r beic, a chawod.

Os ydych chi'n gyfrifol am drefnu cyfarfod, cofiwch roi amserau trafnidiaeth gyhoeddus i bobl neu eu hannog i rannu car gydag eraill sy'n dod i'r cyfarfod.

Oes modd darbwyllo pennaeth y gweithle i newid i gyflenwr trydan gwyrdd fel bod y trydan a'r gwres i gyd yn cael eu creu gan egni adnewyddol? Ydy hi'n bosib cynhyrchu egni adnewyddol yn y gweithle?

Defnyddiwch ddŵr o'r tap yn hytrach nag oerydd dŵr; yn aml mae safon dŵr tap yn uwch na dŵr sydd wedi'i botelu ac mae'n arbed egni i'w becynnu, ei gludo a'i oeri.

Ceisiwch osgoi defnyddio *aerdymheru*; mae'n gwastraffu llawer iawn o egni. Os yw hi'n boeth dylech gau'r ffenestri a'r *cysgodlenni* i gadw'r lle yn oer.

I arbed teithio i gyfarfod defnyddiwch fideo-gynadleddau neu sgyrsiau ffôn tair ffordd. Bydd hyn yn arbed amser a chostau teithio, ac yn osgoi creu llygredd a rhyddhau carbon deuocsid.

Cofiwch ddiffodd sgrin y cyfrifiadur os ydych chi'n mynd i fod oddi wrth eich desg am gyfnod – mae *arbedwr sgrin* yn defnyddio llawer o drydan. Mae gadael arbedwr sgrin ymlaen dros nos yn gwastraffu'r un faint o egni ag a ddefnyddir i argraffu 800 o dudalennau A4.

Penodwch rywun i fod yn gyfrifol am wneud yn siŵr fod goleuadau a chyfrifiaduron wedi'u diffodd yn iawn cyn gadael ar ddiwedd y dydd. Mae gadael llungopïwr ymlaen dros nos yn defnyddio'r un faint o egni ag y byddai gwneud 5,300 o lungopïau.

Yn lle defnyddio styffylau, defnyddiwch glipiau papur – mae modd eu hailddefnyddio. Gwell fyth, prynwch styffylwr sydd ddim angen styffylau. Pe byddai pob gweithiwr swyddfa (mae yna 10 miliwn ym Mhrydain) yn

40

defnyddio un stwffwl yn llai bob dydd, byddai hyn yn arbed 328 kg o ddur y diwrnod – 120 tunnell y flwyddyn!

Anogwch bawb yn y gweithle i roi planhigyn ar eu desg; gall planhigion gael gwared ar hyd at 87% o'r llygredd sydd yn aer y swyddfa mewn 24 awr!

Magu Plant

Beth am fenthyg offer a dodrefn babanod (e.e. crud, bath a gât babi) gan ffrindiau? Gallai hyn arbed llawer o arian i chi, ac yn bwysicach na hynny, mae'n ffordd ymarferol a rhwydd iawn o ailgylchu.

Yn lle prynu dillad newydd i blentyn edrychwch am rai ail-law. Yn aml mae dillad babi ail-law fel newydd gan fod plant ifanc yn tyfu mor gyflym! Holwch ffrindiau am gael benthyg dillad babi, neu ewch i'ch siop elusen leol. Mae yna wefannau arbennig sy'n dangos nwyddau ail-law ar gyfer plant. Meddyliwch, a oes unrhyw bethau nad oes ar eich plant eu hangen rhagor? Os oes, rhowch nhw i rywun fyddai'n falch ohonynt neu gwerthwch nhw!

Defnyddiwch glytiau defnydd yn hytrach na chlytiau parod. Ar gyfartaledd mae rhieni yn gwario £1,200 y flwyddyn ar glytiau parod i bob babi, ond cost prynu a golchi clytiau defnydd am flwyddyn yw £300! Edrychwch i weld a oes gwasanaeth golchi clytiau ar gael yn eich ardal; mae gwasanaethau fel y rhain yn gyfleus ac yn well i'r amgylchedd.

Peidiwch â defnyddio cadachau ymolchi tafladwy – maent yn

42

cynnwys llawer o gemegau, er enghraifft *parabens*, sy'n ymyrryd â hormonau pobl, i'w hatal rhag llwydo, a *propylene glycol*, sy'n cael ei ddefnyddio mewn gwrthrewydd! Defnyddiwch gadach neu wlân cotwm organig a dŵr yn lle hynny.

Ceisiwch beidio â rhoi teganau plastig PVC i blant. Defnyddir cemegau gwenwynig i'w cynhyrchu, sy'n niweidiol i'r amgylchedd, ac mae'n anodd eu hailgylchu. Er mwyn gwneud y plastig hwn yn addas ar gyfer teganau (a logos ar ddillad) caiff *phthalates* eu hychwanegu ato, ond dônt oddi ar y plastig yn hawdd, e.e. wrth i blentyn ei gnoi. Mae rhai o'r cemegau hyn wedi cael eu cysylltu â chancr a niwed i'r arennau. Beth am drio teganau pren yn eu lle?

Y dyddiau hyn mae yna lawer o nwyddau organig ar gael ar wahân i fwyd a diod. Mae'r cemegau sydd yn yr amgylchedd yn effeithio ar fabanod yn fwy na neb arall, felly mae'n werth buddsoddi mewn nwyddau organig os yw'n bosib. Gellir cael dillad a theganau meddal organig, yn ogystal â phethau ymolchi organig.

Gwnewch fwyd cartref yn lle prynu jariau o fwyd babi. Bydd gennych fwy o reolaeth dros yr hyn mae eich plentyn yn ei fwyta, a byddwch yn lleihau gwastraff ac yn arbed arian.

Gofynnwch a oes yna lyfrgell deganau yn lleol neu efallai y gallech sefydlu un eich hun efo ffrindiau yn yr ardal. Mae hyn yn ei gwneud hi'n hawdd i chi a'r plant wneud ffrindiau newydd ac yn ffordd rad o gael teganau gwahanol, yn ogystal ag atal teganau rhag mynd i'r domen sbwriel!

Pa mor bell ydych chi'n byw o'r ysgol? Oes modd i chi gerdded neu feicio yno? Fel arall, defnyddiwch drafnidiaeth gyhoeddus neu rhannwch gar gydag eraill sy'n gwneud yr un siwrnai.

Ceisiwch atgoffa pawb pa mor bwysig yw ailgylchu! Mae modd ailgylchu pob math o bethau, gan gynnwys ffonau symudol, sbectolau a chyfrifiaduron, yn ogystal â nwyddau cyffredin fel papur, plastig, tuniau, alwminiwm a gwydr.

Mae hi'n hawdd gwneud anrhegion unigryw: tyfu blodau, gwnïo, tynnu lluniau, neu bobi cacen flasus! Mae eich amser yn anrheg da hefyd, ac mae pobl hŷn bob amser yn ei werthfawrogi.

I ddysgu mwy am yr amgylchedd a gwneud llwyth o ffrindiau newydd ar yr un pryd, ymunwch gyda grŵp amgylcheddol –

gallwch wneud hyn ar lefel leol, genedlaethol neu ryngwladol. Os oes gennych ddiddordeb mewn grwpiau amgylcheddol ar gyfer pobl ifanc, beth am ymuno â Gwerin y Coed neu Fforwm Ieuenctid Cymru ar Ddatblygiad Cynaliadwy?

Ydych chi'n hoff o siocled? Prynwch siocled Masnach Deg os yw'n bosib. Credir bod 43% o goco'r byd yn dod o ffermydd lle mae plant yn cael eu gorfodi i weithio. Mae cynnyrch Masnach Deg, er enghraifft siocled, te a choffi, wedi cael ei brynu'n uniongyrchol oddi wrth y ffermwyr a'u teuluoedd am bris teg ac felly mae pawb yn gweithio o dan amodau llawer gwell.

Yn yr ardd

Peidiwch â defnyddio cemegau i ladd malwod a gwlithod oherwydd maent yn gwneud niwed i anifeiliaid ac adar eraill hefyd. I warchod planhigion ifanc, rhowch botel blastig drostynt â'r gwaelod wedi ei dorri i ffwrdd. Mae garddwyr organig yn plannu planhigion nad yw malwod yn eu hoffi, fel *blodau'r gwenyn*, yng nghanol y rhai maent yn dueddol o'u bwyta!

Dewiswch gompost heb fawn ynddo. Mae *mawndiroedd* yn cymryd miloedd o flynyddoedd i ffurfio ac mae dros 90% o fawndiroedd Prydain wedi cael eu difrodi, yn enwedig yn ystod y 50 mlynedd diwethaf.

Os byddwch yn prynu dodrefn pren i'r ardd, gwnewch yn siŵr fod y pren yn dod o goedwigoedd sy'n cael eu rheoli mewn ffordd *gynaliadwy*. Edrychwch am logo'r *Cyngor Stiwardiaeth Coedwigaeth* (FSC).

Tyfwch eich llysiau a'ch ffrwythau eich hun – mae'n ffordd wych o gael bwyd ffres yn ei dymor, ac mae'n rhad a blasus! Bydd gennych reolaeth dros y cemegau sy'n cael eu rhoi ar eich bwyd a byddwch hefyd yn helpu i leihau ôl-troed ecolegol y

46

diwydiant bwyd trwy atal cludo'r nwyddau o bell.

Defnyddiwch eich gardd i ddenu bywyd gwyllt. Plannwch blanhigion brodorol o Gymru sy'n cynnig cyflenwad da o fwyd i bryfetach ac adar.

Gall pibell ddŵr ddefnyddio hyd at 1,000 litr o ddŵr yr awr wrth ddyfrhau'r ardd. Defnyddiwch *gan dŵr* yn hytrach na phibell, a chofiwch ddyfrhau'r ardd gyda'r nos pan fydd hi'n oerach fel bod y pridd a'r planhigion yn cael cyfle i amsugno'r dŵr.

Gwnewch yn siŵr eich bod yn dyfrhau'r planhigyn ble mae angen y dŵr, sef wrth y gwreiddiau, yn hytrach na thasgu dŵr dros y dail.

Gosodwch *gasgen ddŵr* (sy'n costio tua £25+) yn eich gardd fel bod y dŵr sy'n llifo i lawr y bibell o'r to yn llenwi'r gasgen yn hytrach na diflannu i lawr y draen. Gallwch ddefnyddio'r dŵr yma i ddyfrhau'r ardd.

Oes gennych chi lein sychu dillad yn yr ardd? Cofiwch ei defnyddio yn hytrach na pheiriant sychu dillad. Gan fod lein ddillad yn defnyddio'r gwynt a'r haul, nid yw'n costio dim i chi!

Mae 27 miliwn tunnell o *wastraff organig*, e.e. croen tatws, bagiau te a phlisg wyau, yn mynd i'r domen sbwriel bob blwyddyn ym Mhrydain. Gellir troi'r gwastraff organig yma yn gompost i'w ddefnyddio yn yr ardd drwy gael bin arbennig neu domen. Opsiwn arall fyddai creu *abwydfa*, lle bydd y pryfed genwair yn bwyta'r gwastraff, gan greu compost o safon uchel.

Anifeiliaid anwes

Rhowch gloch o amgylch gwddf eich cath i leihau nifer yr anifeiliaid y mae hi'n eu lladd. Gall cathod ladd adar, llygod a llyffantod. Credir bod y 7.5 miliwn o gathod sy'n byw ym Mhrydain yn gyfrifol am ladd hyd at 300 miliwn o anifeiliaid ac adar bob blwyddyn! Byddai cadw eich cath i mewn yn ystod y nos hefyd yn ddull da o leihau nifer y creaduriaid y mae hi'n eu lladd.

Prynwch fwyd sych yn hytrach na thuniau i'ch anifeiliaid; byddai hyn yn arbed llawer iawn o wastraff. Os nad yw hyn yn bosib, cofiwch ailgylchu'r tuniau!

Mae anifeiliaid yn hapus yn chwarae gyda deunydd naturiol fel darnau o bren, pêl bapur neu raff – does dim angen prynu teganau plastig iddyn nhw. Bydd hyn yn gwneud lles i'ch poced yn ogystal â'r amgylchedd!

Yn lle defnyddio cemegau i ladd chwain rhowch dabledi garlleg neu furum bragwr ym mwyd yr anifail. Os nad yw hyn yn gweithio, beth am chwilio am goler chwain heb gemegau tocsig o'r siop anifeiliaid anwes?

Teithio

Cerddwch yn lle defnyddio'r car. Bydd hyn yn osgoi rhyddhau *carbon deuocsid* sy'n gyfrifol am *newid hinsawdd*, ac yn eich cadw'n iach a heini! Mae 46% o siwrneiau mewn ceir o dan ddwy filltir – ceisiwch gerdded un siwrnai fer bob wythnos.

Ewch ar eich beic mor aml â phosib. Ac eithrio cerdded, dyma'r ffordd o deithio sy'n gwneud y mwyaf o les i'r amgylchedd, ond gall beicio wneud byd o les i'ch iechyd hefyd. Gall beicio am hanner awr bob dydd eich cadw'n heini, yn ogystal â golygu y byddwch yn byw yn hirach! Mae yna 10,000 o filltiroedd o lwybrau teithio diogel i'w mwynhau ym Mhrydain.

Manteision defnyddio trafnidiaeth gyhoeddus (bysys a threnau), ar wahân i'r rhai amgylcheddol yw y gall fod yn rhatach os oes gennych docyn teithio rheolaidd, nid yw'n gymaint o straen â gyrru, does dim angen parcio nac edrych ar fapiau, a gall fod yn ddull cyflymach o deithio mewn dinasoedd.

Mae un litr o danwydd yn cludo un person am 4 milltir mewn car mawr, a 5.5 milltir mewn car bychan. Gan ddefnyddio un litr o danwydd ar gyfer pob person sy'n teithio, gall bws sy'n cludo 40 o bobl deithio 31 milltir a gall trên sy'n cludo 300 o bobl deithio 34 milltir.

Os oes rhaid defnyddio'r car, ymunwch gyda chlwb rhannu car. Wrth wneud hyn, does dim rhaid i chi dalu costau ychwanegol cadw car. Os nad oes yna glwb ceir ar gael yn lleol, llogwch gar pan fo angen i chi deithio i rywle pell neu anghysbell.

Cynigiwch lifft! Bydd hyn yn lleihau eich costau yn ogystal â defnyddio tanwydd y car yn fwy effeithlon. Mae gwefannau ar gael lle gall teithwyr heb gar gysylltu â rhywun sydd â char ac sy'n gwneud yr un siwrnai.

Prynwch gar bach sy'n defnyddio tanwydd yn effeithlon.

Gwnewch yn siŵr fod gwasgedd eich teiars yn gywir. Bydd hyn yn arbed tanwydd i chi a bydd y teiars yn para'n hirach!

Gyrrwch yn arafach – wrth deithio ar gyflymder o 50 milltir yr awr rydych chi'n defnyddio 9% yn llai o danwydd nag ar gyflymder o 60 milltir yr awr a 15% yn llai o danwydd nag ar gyflymder o 70 milltir yr awr.

Peidiwch â chludo pethau nad oes eu hangen arnoch yng nghist y car.

Diffoddwch yr injan os ydych chi'n llonydd yn y car am fwy na thri munud.

Agorwch y ffenest i gael awyr iach yn lle defnyddio'r aerdymherydd!

Hedfan yw'r modd o deithio sy'n effeithio fwyaf ar yr amgylchedd. Mae'n defnyddio llawer iawn o danwydd – wrth hedfan i Awstralia ac yn ôl rydych chi'n defnyddio'r un faint o egni ag y byddai tŷ cyffredin yn ei ddefnyddio o drydan a gwres mewn 6 blynedd! Beth am fynd ar eich gwyliau i rywle yng Nghymru eleni?

Newid hinsawdd

Mae 'newid hinsawdd' yn cyfeirio at y ffordd mae'r tywydd yn newid oherwydd bod y blaned yn cynhesu. Ers y Chwyldro Diwydiannol (1800 ymlaen) mae pobl wedi bod yn ddibynnol ar *danwyddau ffosil*, sef glo, olew, nwy, petrol a disel, i deithio ac i greu trydan a gwres. Mae llosgi tanwyddau ffosil yn rhyddhau nwy o'r enw carbon deuocsid (CO_2).

Mae carbon deuocsid yn aros yn yr atmosffer ac yn gweithredu fel sgrin o amgylch y ddaear gan gadw gwres yr haul yn yr atmosffer, yn union fel mae gwydr yn ei wneud mewn tŷ gwydr. Os yw pobl yn parhau i ryddhau mwy o garbon deuocsid a nwyon tŷ gwydr eraill, bydd tymheredd y byd yn parhau i godi.

Wrth i dymheredd y ddaear godi mae'r tywydd yn newid ar draws y byd. Bydd hyn yn arwain at lifogydd, yn gwneud i eira a rhew feirioli, ac i lefel y môr godi. Fe fydd hefyd yn achosi sychder, a fydd yn golygu mwy o newyn a mwy o afiechydon.

Y newyddion da yw ei bod yn bosib gwneud rhywbeth rŵan. Gallwn arafu'r newid hinsawdd drwy ddefnyddio llai o egni, defnyddio egni'n fwy effeithlon a chreu egni adnewyddol (e.e. defnyddio gwynt a dŵr i greu trydan a gwres). Gallwn ddwyn perswâd ar eraill i wneud hynny hefyd, yn enwedig masnachwyr a gwleidyddion.

Gwastraff

Mae gwastraff yn broblem fawr yng Nghymru, ac mae pob un ohonom yn cyfrannu'n ddyddiol at domenni sbwriel sy'n tyfu ar raddfa ddychrynllyd.

Yn aml, mae'r pethau rydym yn eu taflu i'r bin wedi defnyddio llawer iawn o adnoddau naturiol ac egni i'w cynhyrchu. Y ffordd hawsaf i leihau'r *tomenni sbwriel* yw peidio â phrynu cymaint yn y lle cyntaf, a pheidio â dewis nwyddau sydd wedi cael eu pecynnu'n ddiangen.

Ailddefnyddio – dyma ffordd hawdd arall o leihau gwastraff. Yn lle taflu rhywbeth yn syth ar ôl gorffen ag ef, ystyriwch a oes modd ei ailddefnyddio? Heddiw mae modd prynu a gwerthu pob math o nwyddau ail-law drwy ddefnyddio'r we ac mae siopau elusen yn falch o dderbyn nwyddau ail-law.

Os na ellir ailddefnyddio nwyddau, mae'n bwysig iawn eu

hailgylchu. Ar hyn o bryd dim ond 25% o wastraff cartrefi Cymru sy'n cael ei ailgylchu. Does dim rheswm dros beidio ailgylchu llawer iawn o nwyddau bob dydd, e.e. gwydr, tuniau alwminiwm, papur a rhai mathau o blastig.

Dŵr

Dŵr yw'r elfen bwysicaf i gynnal bywyd ar y ddaear. Ar hyn o bryd nid oes gan 1.1 biliwn o bobl gyflenwad dŵr glân ac mae 1.8 miliwn o blant yn marw bob blwyddyn o'r herwydd.

Oeddech chi'n gwybod mai dŵr yw 60% o'r corff dynol? Rydym yn lwcus iawn ein bod yn byw mewn gwlad eithaf gwlyb yng Nghymru sydd â chyflenwad cyson o ddŵr glân. Dim ond 0.3% o'r dŵr ar y ddaear sy'n addas i bobl ei ddefnyddio.

Mae'n bwysig bod yn ofalus gyda'n dŵr a pheidio â'i wastraffu. Er mwyn i ni gael dŵr glân o'r tap mae llawer o egni'n cael ei ddefnyddio i'w lanhau a'i gludo. Defnyddir 6 litr o ddŵr i greu peint o gwrw, 10 litr o ddŵr i gynhyrchu un papur newydd a 150 litr i wneud un crys cotwm!

Cemegau

Amcangyfrifir bod 1,000 o gemegau newydd yn cael eu creu bob blwyddyn ac yn cael eu defnyddio'n rheolaidd. Mae cemegau tocsig yn bodoli ym mhob creadur, bron, ac ym mhob amgylchedd erbyn hyn. Nid yw'r mwyafrif o'r cemegau hyn wedi cael eu profi i ddarganfod beth yw eu heffeithiau ar bobl ac ar fywyd gwyllt, a chaiff llawer ohonynt eu cysylltu gyda'r cynnydd yn y nifer sy'n dioddef o afiechydon fel cancr ac asthma.

Nid oes neb yn siŵr beth yw effaith cymysgu cymaint o gemegau tocsig yn y corff, ond nid yw'n debygol o fod yn llesol! Mae'r cemegau'n niweidio'r amgylchedd ac anifeiliaid hefyd. Defnyddir llawer o egni i'w cynhyrchu a'u cludo, ac maent yn llygru'r aer, yn ogystal â phridd a dŵr.

I osgoi rhai o'r cemegau niweidiol yma, mae modd prynu nwyddau organig (bwyd, diod, dillad, colur, ayb). Hefyd, mae'n bosib defnyddio deunyddiau naturiol wrth lanhau, yn lle cemegau.

Bywyd gwyllt

Mae Cymru'n wlad gyfoethog iawn o ran bywyd gwyllt, gyda 30% o'i thir a'i dyfroedd yn cael eu gwarchod naill ai oherwydd cyfoeth y bywyd gwyllt, harddwch neu werth daearegol. Yn anffodus, mae llawer o'r bywyd gwyllt mewn perygl oherwydd yr holl lygredd mae pobl yn ei gynhyrchu ac effeithiau amgylcheddol fel newid hinsawdd.

Yn y blynyddoedd nesaf mae'n debygol y bydd anifeiliaid a phlanhigion prin, er enghraifft Lili'r Wyddfa, yn diflannu am byth oherwydd bod Cymru'n cynhesu. Yn y 30 mlynedd diwethaf mae nifer yr anifeiliaid ag asgwrn cefn wedi lleihau 40%.

Y ffordd hawsaf o warchod bywyd gwyllt ym Mhrydain yw trwy wella ein gerddi. Mae 27,000 km^2 o dir da Prydain yn erddi. Os nad oes gennych chi ardd, beth am holi eich cyngor lleol am randir neu osod bocs blodau ar eich sil ffenest?

Defnyddir coed o fforestydd glaw a choedwigoedd hynafol i wneud llyfrau, dodrefn a hyd yn oed bapur tŷ bach! Wrth brynu nwyddau pren mae'n bwysig edrych am rai sydd wedi dod o goedwigoedd cynaliadwy, e.e. rhai sydd yng ngofal y Cyngor Stiwardiaeth Coedwigaeth (FSC).

Geirfa

Abwydfa *wormery*

Aerdymheru *air conditioning*

Ailgylchu *recycle*

Amgylchedd *environment*

Arbedwr sgrin *screen saver*

Batris ailwefradwy *rechargeable batteries*

Blodau'r gwenyn *Marigolds*

Can dŵr *watering can*

Carbon deuocsid *carbon dioxide* – Caiff y nwy yma ei ryddhau wrth losgi tanwyddau ffosil, sef glo, olew a nwy. Mae'n un o'r prif nwyon tŷ gwydr sy'n gyfrifol am gynhesu byd-eang a newid hinsawdd.

Casgen ddŵr *water butt*

Cemegau *chemicals*

Clytiau parod *disposable nappies*

Cynaliadwy/cynaliadwyedd *sustainable/sustainability* – Mae bod yn gynaliadwy yn golygu ein bod yn defnyddio adnoddau i'n cynnal heddiw ond gan sicrhau y bydd modd i genedlaethau'r dyfodol wneud yr un fath.

Cyngor Stiwardiaeth Coedwigaeth *Forestry Stewardship Council (FSC)*

Cysgodlenni *window blinds*

Diaroglydd *deodorant*

Egni adnewyddol *renewable energy* – Yr egni sy'n dod o ffynonellau diderfyn, er enghraifft gwynt, dŵr sy'n llifo a golau'r haul. Mae'n wahanol i egni o danwyddau ffosil (nwy, olew a glo), a fydd yn darfod ymhen amser.

Gwasanaeth Dewis Post *Mail Preference Service*

Gwastraff *waste*

Gwastraff organig *organic waste* – Y gwahaniaeth rhwng gwastraff organig a gwastraff cyffredinol yw fod gwastraff organig yn pydru'n rhwydd gan ei fod yn cynnwys gwastraff naturiol, e.e. dail, llysiau, ffrwythau, blodau ayb.

Gwrthrewydd *anti freeze*

Y Gymdeithas Frenhinol er Atal Creulondeb i Anifeiliaid *Royal Society for the Prevention of Cruelty to Animals* – RSPCA

Masnach Deg *Fair Trade*

Mawndir / mawndiroedd *peat / peatlands*

Modd segur *stand-by mode*

Newid hinsawdd *climate change* – Disgrifia newid hinsawdd y ffordd mae tywydd y byd yn newid oherwydd bod y ddaear yn cynhesu. (Gweler tudalen 53 am ragor o wybodaeth.)

Ôl-troed ecolegol *ecological footprint* – Diben yr ôl-troed ecolegol yw mesur baich amgylcheddol ein ffordd o fyw. Mae'n cyfrifo faint o dir a môr sydd eu hangen arnom i gael yr egni, y bwyd a'r deunyddiau rydym yn eu defnyddio bob dydd.

Organig *organic* – Nid yw cemegau, e.e. gwrtaith a phlaleiddiaid artiffisial, yn cael eu defnyddio wrth greu nwyddau organig.

Tafladwy *disposable*

Tanwyddau ffosil *fossil fuels* – Ffynonellau egni, sef glo, olew a nwy. Wrth eu llosgi bydd carbon deuocsid yn cael ei ryddhau.

Teclyn / teclynnau *appliance / appliances*

Tomen sbwriel / tomenni sbwriel *rubbish tip / rubbish tips*

Trafnidiaeth gyhoeddus *public transport*

Wal geudod / waliau ceudod *cavity wall / cavity walls*

Ymddiriedolaeth Arbed Egni *Energy Savings Trust*

Eisiau gwybod mwy?

Mae amrywiaeth o wefannau defnyddiol, sefydliadau ac adrannau o'r llywodraeth y gellir cysylltu â hwy er mwyn cael rhagor o wybodaeth am y pynciau a drafodir yn y llyfr hwn.

Anifeiliaid anwes

Y Gymdeithas Frenhinol er Atal Creulondeb i Anifeiliaid (RSPCA): www.rspca.org.uk

Rescue pet: www.rescuepet.org.uk

Arbed egni

Yr Ymddiriedolaeth Arbed Egni: www.energysavingstrust.org.uk

Yr Ymddiriedolaeth Garbon (Carbon Trust): www.thecarbontrust.co.uk

Arbed Ynni Cymru: www.arbedynnicymru.org.uk

Bwyd

Cymdeithas Genedlaethol Marchnadoedd Ffermwyr:
www.farmersmarket.net

Cyfeillion y Ddaear Cymru: www.foe.co.uk/cymru

Bywyd gwyllt

WWF: www.wwf.org.uk/core/about/cymru.asp

Greenpeace: http://www.greenpeace.org.uk/oceans

Cyngor Cefn Gwlad Cymru: www.ccw.gov.uk

Cyngor Parciau Cenedlaethol: www.cnp.org.uk

Forest Stewardship Council. www.fsc.org

RSPB: www.rspb.org.uk/cymru

Cemegau

Greenpeace: www.greenpeace.org.uk/toxics

Chemical Body Burden: www.chemicalbodyburden.org

Cymdeithas y Pridd (Soil Association): www.soilassociation.org.uk

Dŵr

WWF: www.wwf.org.uk/researcher/issues.freshwater

Hippo the water saver: www.hippo-the-watersaver.co.uk

Water Aid: www.wateraid.co.uk

Egni adnewyddol

Adran Diwydiant a Masnach: www.dti.gov.uk/energy/sources

Sefydliad Egni Cenedlaethol (National Energy Foundation): www.nef.org.uk/greenenergy

Good Energy: www.good-energy.co.uk

Gwastraff

Freecycle: www.freecycle.org

Buy recycled (nwyddau wedi eu hailgylchu ym Mhrydain): www.recycledproducts.org.uk

Gwasanaeth Dewis Post: www.mps.online.org.uk

Craff am Wastraff: www.wasteawarenesswales.org.uk

Rhwydwaith Compostio Cymunedol (Community Composting Network): www.communitycompost.org

Computer Aid International: www.computeraid.org

eBay: www.ebay.co.uk

Y Llyfrgell Hamdden a Theganau Genedlaethol (National Toy & Lesiure Libraries): www.natll.org.uk

Eco-ysgolion: www.ecoschools.org.uk

Antur Waunfawr: www.anturwaunfawr.org

Masnach Deg

Fforwm Masnach Deg Cymru:
www.gwe.nu/fairtrade/iaith/cymraeg/2_Gwlad_Fasnach_Deg.html

Nwyddau Masnach Deg: www.oxfam.org.uk

Labour Behind the Label: http://www.labourbehindthelabel.org

Newid hinsawdd

BBC: www.bbc.co.uk/climatechange

www.newidhinsawddcymru.org.uk

Plant

Preloved (gwefan i brynu a gwerthu pethau babis): www.preloved.co.uk/go/gaga

Ymgyrch Cewynnau Go Iawn: www.realnappies-wales.org.uk

Gwerin y Coed: www.gwerin.org

Fforwm Ieuenctid ar Ddatblygiad Cynaliadwy: www.wyfsd.org.uk

Teithio

Sustrans: www.sustrans.org.uk

Car Plus (prosiectau rhannu car): www.carplus.org.uk

Canolfan y Dechnoleg Amgen:

Mae Canolfan y Dechnoleg Amgen, Machynlleth, yn weithgar ym mhob un o'r meysydd uchod, gan gynnig cyngor a gwasanaethau arbenigol ac addysgol.

www.cat.org.uk